SGRWTSH!

Eurig Salisbury

Lluniau Rhys Bevan-Jones

Gomer

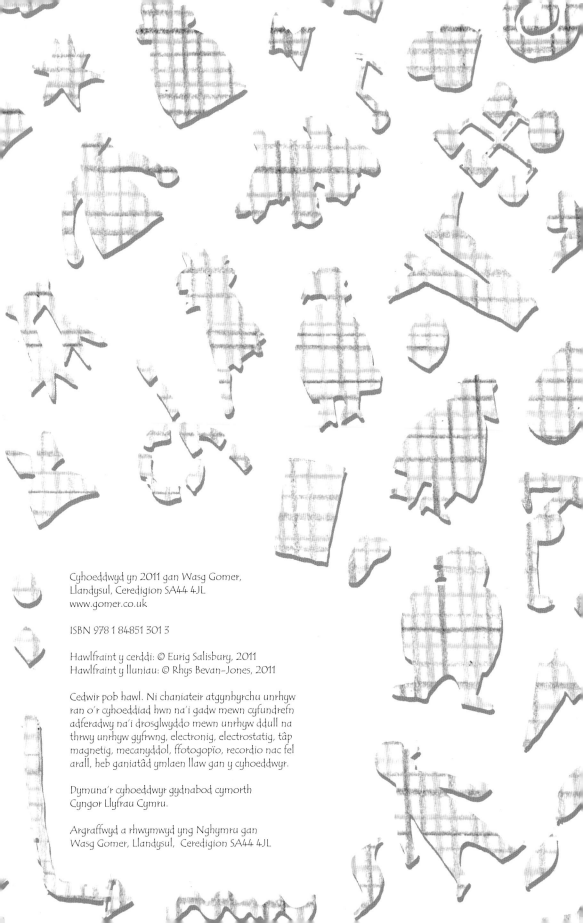

Cyhoeddwyd yn 2011 gan Wasg Gomer,
Llandysul, Ceredigion SA44 4JL
www.gomer.co.uk

ISBN 978 1 84851 301 3

Dymuna'r cyhoeddwyr gydnabod cymorth
Cyngor Llyfrau Cymru.

Argraffwyd a rhwymwyd yng Nghymru gan
Wasg Gomer, Llandysul, Ceredigion SA44 4JL

CYNNWYS

Fy Map i

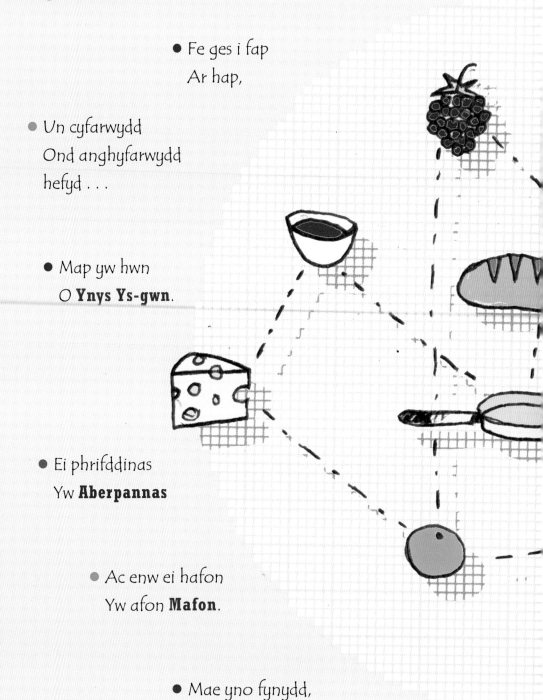

● Fe ges i fap
   Ar hap,

● Un cyfarwydd
Ond anghyfarwydd
hefyd . . .

● Map yw hwn
   O **Ynys Ys-gwn**.

● Ei phrifddinas
   Yw **Aberpannas**

● Ac enw ei hafon
   Yw afon **Mafon**.

● Mae yno fynydd,
   Craig-y-pobydd,

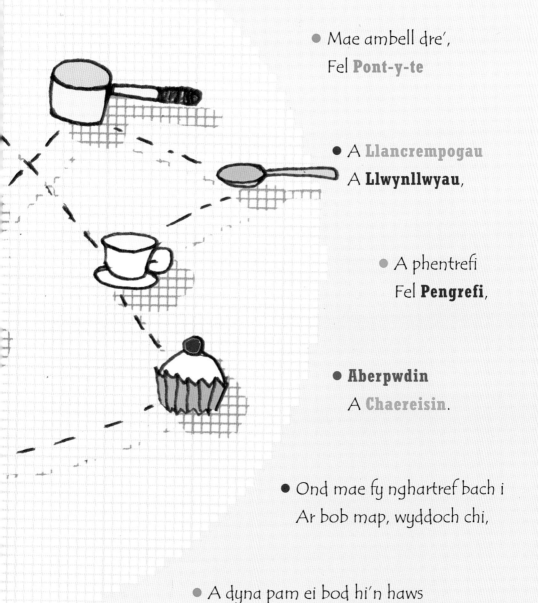

- Ac wrtho'n ffrwtian
  Mae **Llyn Sosban**.

- Mae ambell dre',
  Fel **Pont-y-te**

- A **Llancrempogau**
  A **Llwynllwyau**,

- A phentrefi
  Fel **Pengrefi**,

- **Aberpwdin**
  A **Chaereisin**.

- Ond mae fy nghartref bach i
  Ar bob map, wyddoch chi,

- A dyna pam ei bod hi'n haws
  I mi ddod o hyd i **NANT-Y-CAWS**.

Deian Druan

Deffrodd Deian,
Mam yn gweiddi,
Deian druan,
Hwyr yn codi!

Gwisgodd Deian,
Clymu cwlwm,
Deian druan,
Colli botwm!

Rhedodd Deian,
Dal y bws,
Deian druan,
Baglu, ffws!

Cysgodd Deian,
Wedi blino,
Deian druan,
Miss yn dwrdio.

Taclodd Deian,
Gwaelod ryc,
Deian druan,
Hollol styc!

Pwdodd Deian,
Cloch yn canu,
Deian druan,
Glaw'n pistyllu.

Gwenodd Deian,
Cacen jam,
Deian druan!
Cwtsh gan Mam.

Dad!

Dad, dwi'n hoffi dy dei,
Mae'n lliwgar a, hei!
Dwi'n hoffi dy wallt . . .
Ti'n dallt?

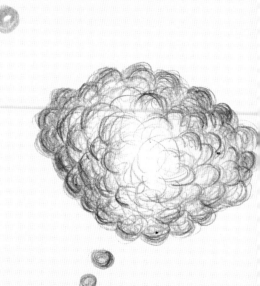

Dad . . . ga' i geffyl bach diddig
Yn anrheg Nadolig?
Un ceffyl bach, plis,
Plis, pliis?

Dad, ga' i geffyl smwt ei drwyn
A hir ei ben, ga' i ddal y ffrwyn?
Ga' i un â llygaid bywiog, bach
Heb strach?

Dad, un ciwt â'i gôt fel sidan
A chlep ei garnau fel sŵn taran?
Un sy'n neidio'n uchel, uchel . . .
Ie, wel?

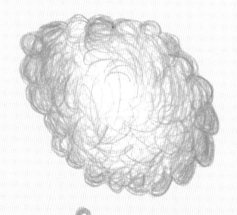

Dad, os ca' i dwi'n addo, addo,
Yr edrycha' i ar ei ôl o,
Ac mi fydda' i'n dda am hir . . .
Go wir!

Brwsh
fel Mwsh

Mae gen i gath
Sy'n hoff o la'th,
Ei henw yw Mwsh.

'Tybed,' ddwedais i,
'Tybed a hoffai hi
Fod yn frwsh?'

Gofynnais yn neis,
'Hoffet ti syrpréis?',
Ond 'Miaw!' ddwedodd Mwsh.

Er bod gen i bot
O baent coch, a lot
O bapur, doedd gen i ddim brwsh.

Ond wrth i mi
Ei galw hi
Dihangodd Mwsh – wwwsh!

Sam y Ci

Mae'n gorwedd ar y landin
A'i bawen dan ei ên,
Sam y ci.

Mae'n rhuthro fel peth gwallgo
Wrth glywed sŵn fy nhroed,
Sam y ci.

Mae'n sniffio rownd fy nghoesau
Â'i drwyn yn fawr a gwlyb,
Sam y ci.

Mae'n rhythu ar fy mhlatiaid
Â'i lygaid crynion, dwfn,
Sam y ci.

Mi rof i ddarn bach iddo –
Oherwydd 'den ni'n mêts,
Sam a fi.

Fy Nheulu I

Mae gen i frawd o'r enw Jim
A, wir i chi, dyw'n dda i ddim.

Mae gen i chwaer o'r enw Jên
A, wir i chi, does ganddi'm brên.

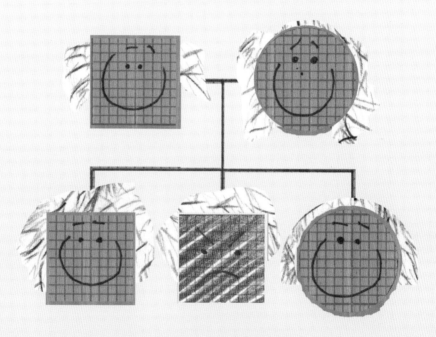

A, wir i chi, un gwallgo, bron,
Yw Dad, a'i enw e yw John.

Ac yna Mam, un od yw hi,
Ei henw yw Jan, ie, wir i chi.

Ond pwy yw'r un sy'n cael y fflac?
Ie, fi, wir yr! Fy enw yw . . .

Cadno Coch

Yn ysgafn,
Fel pe bai'r llawr yn llosgi
Ei draed,
Dacw'r cadno coch
Yn loncian o lwyn i lwyn.

Mae'n cadw ei bwyll,
Yn codi ei ben
Ac oedi.

Clywodd rywun
Neu rywbeth
Lle na chlywais i
Ddim.

Y cadno coch
Â'i draed yn ddu
Yn loncian ac yn loncian
Cyn i'r tir ei
Lyncu.

Y Llyn Hud

Mae llwybyr ar y mynydd
    Ymysg y grug a'r mawn
Sy'n arwain at hen ogof –
    Un hen, hen, hen, hen iawn –
Dilyna'r llwybyr hwnnw i lawr
At lannau tywyll hen lyn mawr.

Mewn llyn o dan y mynydd
    Fe deimli gryndod mawr
A chlywed rhuo uchel
    O'r hwyr hyd doriad gwawr –
Dwy ddraig, un goch ac un fawr, wen
Dan wreiddiau'r grug a'r mawn uwchben.

Caffi Cornel

Llond mwg o siocled cynnes yn fy llaw,
Llond caffi bach o bobol rhag y glaw

Yn chwilio, chwilio ym mhob man am le
I eistedd a chael paned fawr o de.

Chaiff neb y bwrdd sy genna i a Mam,
Er gwaetha'r ffaith ei fod o braidd yn gam.

Mae'n well bod yma'n sownd nag ar y stryd
Tu hwnt i'r holl ffenestri'n stêm i gyd.

A dacw Mam yn gwenu arna i,
Mi ranna i ddarn o gacen gyda hi!

Ianto'r Cantor

Roedd Ianto'n canu rownd y ril,
O fore gwyn tan nos,
Fe ganai'r anthem yn y bath
Ac arias ar y rhos.

Wrth fwyta'i frecwast gyda'r wawr
Fe ganai nerth ei ben,
Ac yn y caeau boddai sŵn
Yr adar mân uwchben.

Fe aeth ei fam a'i dad o'u co',
Dywedai pawb, 'Jiw, jiw!',
Ond wir, doedd Ianto'n poeni dim
Ei fod e mas o diwn.

Nain

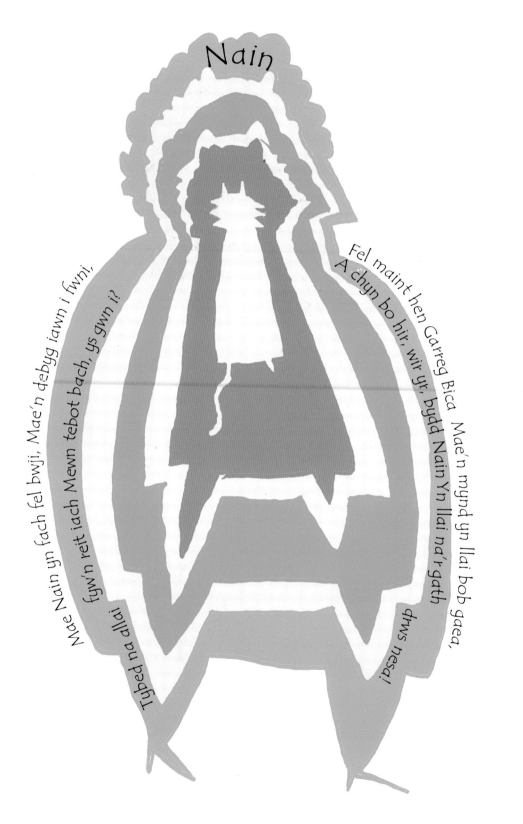

Mae Nain yn fach fel bwji, Mae'n debyg iawn i fwni,

Tybed na allai fyw'n reit iach Mewn tebot bach, ys gwn i?

Fel maint hen Garreg Bica Mae'n mynd yn llai bob gaea,

A chyn bo hir, wir yr, bydd Nain Yn llai na'r gath drws nesa!

Clonc

Dwy hen fenyw yn cael clonc,
Un yn gloff a'r llall yn sionc,
Un yn fach fel wy mewn ecob,
Un yn fawr fel hen, hen wardrob.

Tu ôl i'r Glwyd

I lawr y lôn mae ffarm fawr lwyd
Heb ddim o'i blaen hi ond hen glwyd.

Tu ôl i'r glwyd wrth jaen yn eistedd
Mae clamp o geg â'i llond o ddannedd.

Uwchben y dannedd mae dwy lygad,
Llygaid llym sy'n gwylio'n wastad.

Ac wrth y llygaid mae dwy glust
Sy'n clywed sŵn dy droed di – ust!

Na, feiddia i ddim mynd at y glwyd
I lawr y lôn i'r ffarm fawr lwyd.

Sgrwtsh

Mae tai di-ri
Yn ein stryd ni,
Tai â drysau
Porffor golau,
Rhai â gwydyr,
Rhai'n reit fudur,
A rhai wedyn
Gyda bachyn,
A phob un â blwch llythyrau
I ddal rwtsh.

Mae ambell flwch
Â'i lond o lwch,
Ac ambell un
Yn reit ddi-lun,
Rhai'n batrymog
A godidog,
A rhai'n llawn
Bob un prynhawn,
Ond mae un ac arno'r geiriau –
DIM SGRWTSH!

Aderyn Dof

Ym mhlygion
Fy mhoced
Mae 'deryn bach
Yn byw.

Mae'n bitw
A chynnes,
Aderyn dof
Mewn llaw.

Ac weithiau
Fe glymaf
Un neges wrth
Ei goes

A'i anfon
I'r awyr,
Does dim byd
Yn haws!

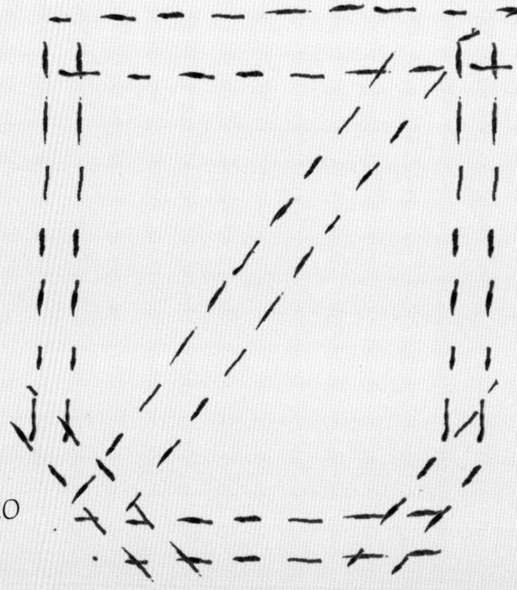

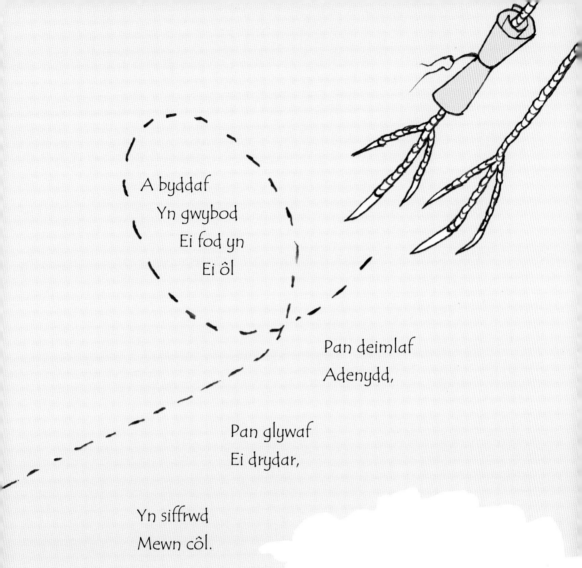

A byddaf
Yn gwybod
Ei fod yn
Ei ôl

Pan deimlaf
Adenydd,

Pan glywaf
Ei drydar,

Yn siffrwd
Mewn côl.

Afon

Nant fach   cynffon sarff

Nant fuan   tincial arian

Nant serth   dwylo'n glep

Nant ddu   hafan gudd

Nant ddofn   ogof goll

Nant fyrlymus   gwrach siaradus

Nant gyflym   plas pysgodyn

Nant fawr   llif llawn

Afon fach   cynffon draig

Afon fuan   twrw taran

Afon serth   carnau'n glep

Afon ddu   llwyfan rydd

Afon ddofn   ynys goll

Afon fyrlymus   gwrach arswydus

Afon gyflym   plas morfilyn

Afon fawr   llif i lawr

I'r môr

Dyn Ot o Sblot

Roedd dyn yn byw mewn tŷ yn Sblot,
Dyn ot.

Âi ar ei wyliau draw i Blwmp,
Y lwmp!

Ond aeth yn sownd, do, yng Nghas-gwent
Mewn sment.

Ogof y Lleisiau

(*Dirgelwch yr Ogof*, T. Llew Jones)

Ar noson dawel, dywyll
    Pan fo'r lleuad bron yn llawn,
Os ei di i draeth Cwmtydu
    Yn ddistaw, ddistaw iawn,
Fe glywi leisiau yn y man
O wrando'n astud wrth y lan.

A phwy sy'n gwisgo brethyn
    I smyglo contraband?
Does ganddo wisg urddasol
    Na chlogyn cynnes, crand,
Dim ond hen gwilt cyffredin, brith
Ac arno liwiau rif y gwlith.

Tyrd draw cyn daw y llanw
    I mewn i'n cadw mas,
A'r wawr i dorri'n araf
    Uwchben y tonnau glas,
Tyrd draw, tyrd draw i roi help llaw,
Mae'r nos yn hir a llong gerllaw!

Twrch Trwyth

A glywaist ti
Am y bwystfil yn y coed?
Ni bu anifail casach
Yn crwydro'r coed erioed.

A welaist ti ei flew
Ar risgil oer y pren?
Mae'n bigog fel hen ysgall
O'i gynffon hyd ei ben.

A welaist ôl ei garn
Lle rhedodd yn y baw?
Mae'n ddwfn fel sinc y gegin,
Mae'n fawr fel wyneb rhaw.

A welaist ti'r hen hollt
Lle trawodd gil ei ddant?
Un tro pan redodd heibio
Daeth darn o'r garreg bant.

Fe glywais sŵn ei ru
Drwy'r coed, dwi'n siŵr, un tro,
Yn rhedeg rhag y rhai a fu'n
Ei hela ers cyn co'.

Ffowc

Roedd Ffowc yn byw drws nesa'
I hen dŷ Nain a Taid,
Ac roedd o'n gant a hanner oed
Mae'n rhaid.

Roedd Ffowc yn byw â Lewis,
Ei frawd, a oedd yn iau,
Ond, wir i chi, hen lanciau oedd
Y ddau,

Hynny yw, doedd 'run ohonynt
Wedi priodi merch erioed,
Dim ond rhyw araf dyfu'n hen
Fel coed.

Roedd Ffowc yn fyr fel boncyff
Hen gastanwydden fach,
A Lewis, i'r gwrthwyneb llwyr,
Fel rhaff.

Dwi'n gwenu wrth ei gofio,
Hen Ffowc, heb wybod pam,
Ei lais fel gwich a'i lygaid braidd
Yn gam.

Dewi'r Dewin

Roedd Dewi'n ddewin pwysig,
Roedd Dewi'n ddewin mawr,
Roedd Dewi'n nabod pob un gwrach
A chawr.

Roedd Dewi'n ddewin dawnus,
Roedd ganddo hudlath hir
A swynion o bob math, i ddweud
Y gwir.

Roedd Dewi'n ddewin rhwysgfawr,
Roedd ganddo glogyn glas
A het fawr big a wisgai wrth
Fynd mas.

Roedd Dewi'n ddewin enwog,
Roedd Dewi'n ddewin prudd,
Ond tagodd ar ryw gneuen fach
Un dydd,

A dyna ni.

Yr Ig

Mae gen . . .

Beth?

Mae gen i . . .

Beth?

Mae gen i'r ig!

Ig!

Beth yn y byd yw'r ig?

Dyma . . .

Beth?

Dyma beth . . .

Beth?

Dyma beth yw'r ig!

Ig!